U0151446

"十二五"国家重点图书出版规划项目

数学文化小丛书

李大潜 主编

堆球的故事

Duiqiu de Gushi

宗传明

高等教育出版社·北京

图书在版编目（CIP）数据

堆球的故事/宗传明编.—北京:高等教育出版社,2014.3
(2023.4重印)
(数学文化小丛书/李大潜主编.第3辑)
ISBN 978-7-04-031852-4

Ⅰ.①堆… Ⅱ.①宗… Ⅲ.①几何学–普及读物
Ⅳ.①O18–49

中国版本图书馆 CIP 数据核字(2014)第 018228 号

项目策划 李艳馥 李 蕊

策划编辑	李 蕊	责任编辑	杨 帆	封面设计	张 楠
版式设计	王艳红	插图绘制	尹文军	责任校对	殷 然
责任印制	存 怡				

出版发行	高等教育出版社	咨询电话	400-810-0598
社 址	北京市西城区德	网 址	
	外大街4号	http://www.hep.edu.cn	
邮政编码	100120	http://www.hep.com.cn	
印 刷	中煤（北京）印务	网上订购	
	有限公司	http://www.landraco.com	
开 本	787×960 1/32	http://www.landraco.com.cn	
印 张	3	版 次	2014 年 3 月第 1 版
字 数	51 000	印 次	2023 年 4 月第 8 次印刷
购书热线	010-58581118	定 价	9.00 元

本书如有缺页、倒页、脱页等质量问题，请到所购图书销售部门联系调换。

数学文化小丛书编委会

数学文化小丛书总序

整个数学的发展史是和人类物质文明和精神文明的发展史交融在一起的。数学不仅是一种精确的语言和工具、一门博大精深并应用广泛的科学，而且更是一种先进的文化。它在人类文明的进程中一直起着积极的推动作用，是人类文明的一个重要支柱。

要学好数学，不等于拼命做习题、背公式，而是要着重领会数学的思想方法和精神实质，了解数学在人类文明发展中所起的关键作用，自觉地接受数学文化的熏陶。只有这样，才能从根本上体现素质教育的要求，并为全民族思想文化素质的提高夯实基础。

鉴于目前充分认识到这一点的人还不多，更远未引起各方面足够的重视，很有必要在较大的范围内大力进行宣传、引导工作。本丛书正是在这样的背景下，本着弘扬和普及数学文化的宗旨而编辑出版的。

为了使包括中学生在内的广大读者都能有所收益，本丛书将着力精选那些对人类文明的发展起过重要作用、在深化人类对世界的认识或推动人类对世界的改造方面有某种里程碑意义的主题，由学有专长的学者执笔，抓住主要的线索和本质的内容，由浅入深并简明生动地向读者介绍数学文化的丰富内涵、数学文化史诗中一些重要的篇章以及古今中外一些著名数学家的优秀品质及历史功绩等内容。每个专题篇幅不长，并相对独立，以易于阅读、便于携带且尽可能降低书价为原则，有的专题单独成册，有些专题则联合成册。

希望广大读者能通过阅读这套丛书，走近数学、品味数学和理解数学，充分感受数学文化的魅力和作用，进一步打开视野、启迪心智，在今后的学习与工作中取得更出色的成绩。

李大潜

2005 年 12 月

　　2000 年 11 月 8 日晚我接到陈省身先生从南开大学打来的电话，请我去天津聊一聊堆球的事。我第二天中午赶到南开，就住在先生的宁园寓所。那是我第一次见到陈先生，也是我第一次去南开。在两天的逗留期间，我们一直都在讨论开普勒猜想，西方哪些数学家曾研究过这一问题以及堆球专家们对项武义的工作有些什么看法和评价等。十多年过去了，先生的一句话始终记在我的脑海里："如果武义的证明能得到西方的承认，那么华人数学的地位会提高。"

　　　　　　　　　——谨以这本小书纪念陈省身先生

目　　录

引　言

　　1594 年，为了尽可能多地携带炮弹到美洲征服殖民地，英国探险家雷利爵士提出了堆球问题：如何摆放球形炮弹可使船队的弹药仓装的炮弹最多？1611 年，基于哈里奥的构造和计算，开普勒猜测：堆球的最大密度是 $\pi/\sqrt{18}$. 1694 年，牛顿和格里高利提出了如下问题：一个球能否跟 13 个等半径的球同时相切？这是历史悠久、非常著名的两个数学问题．

　　四百多年以来，这两个问题及其在高维空间的推广吸引了许多科学家的兴趣．它导致了一些美妙的发现，成就了一些数学家的辉煌事业；也耗尽了许多人的才华，留下了许多让人感叹不已的故事．

　　数学是由数学家创造的．同时，数学又造就了许多天才．优美的数学结论背后常有一些非凡的人物，更有许多戏剧性的故事．这本小册子将以尽量通俗的方式介绍堆球理论四百多年来的主要进展．它着重突出一些主要人物、有趣故事、奇妙方法和优美结论．

1. 雷利爵士的问题与开普勒的猜想

    1594 年的一天, 英国著名探险家雷利爵士 (Sir Walter Raleigh, 1552—1618) 听说了南美洲有金矿的消息. 他决定再次出海发一笔横财. 为了这次探险, 他需要准备足够的食物、淡水、火药、枪弹和炮弹. 那时候, 炮弹都是同样半径的圆铁球. 为此, 他命令哈里奥 (Thomas Harriot, 1560—1621) 找出在有限空间中尽量多地堆放炮弹的方法, 并计算一下船队的炮弹仓能堆放多少发炮弹.

图 1　Sir Walter Raleigh　　图 2　Thomas Harriot
　　　　(1552—1618)　　　　　　　　(1560—1621)

3

雷利爵士曾参与最早的美洲殖民计划: 在北卡罗来纳和弗吉尼亚建立殖民地. 1587 年, 英国在罗阿诺克岛建立了一个一百多人的殖民村. 由于弹药不足, 补给中断, 三年后全军覆没. 所以, 雷利爵士这次特别重视利用船队有限的炮弹仓尽量多地携带炮弹.

哈里奥是雷利爵士的助手, 负责探险队的地理、天文、气象等方面的咨询工作, 自然深知任务的重要性. 他很快就给出了答案, 而且还给出了堆放炮弹的一个高效方案: 如图 3, 先排放一层炮弹. 在这一层的上面叠放完全相同的一层, 并且使得第二层的球心尽可能的低. 依次增加层数, 可以得到一个尽量高效的堆积. 当然, 在这一过程中需要注意边界 (炮弹仓的墙) 造成的误差.

图 3

容易看出, 这样构造的堆积内部的每一个球都恰好跟 12 个球相切 (如图 4 所示). 假设每个炮弹是一个单位球, 过这 12 个切点作单位球的切平面, 我们得到一个包含位于中间的单位球的十二面体. 根据阿基米德的体积公式, 单位球的体积是 $4\pi/3$. 将该十二面体分成十二个锥体, 容易得到它的体积是 $4\sqrt{2}$. 由排放的规律性, 可以得到这一堆积的密度大致为单位球与十二面体的体积之比, 即 $\pi/\sqrt{18}$. 当然, 这并不是最简便的计算. 用 P 表示棱长全为 2, 且在某一顶点的三个角全为 $\pi/3$ 的一个平行六面体. 这一堆积的密度亦即单位球与 P 的体积之比, 且该平行六面体的体积也是 $4\sqrt{2}$.

图 4

雷利爵士的这次探险抵达了南美洲的圭亚那和委内瑞拉, 确实使他发了财. 回到英国后, 尽管此前他曾因为跟女王伊丽莎白一世的侍女秘密结婚而失宠并被关押到伦敦塔 (英国关押贵族的著名监狱), 但他很快又得到了女王的宠爱并飞黄腾达. 然而, 好景不长. 女王于 1603 年驾崩, 雷利爵士因为卷入反对新国王詹姆斯一世的一场阴谋再次被捕投入伦敦塔. 他 1616 年获释, 再次赴委内瑞拉探险. 这次他的探险队洗劫了一个西班牙殖民地哨所. 他于 1618 年返回伦敦. 为了向西班牙示好, 雷利爵士被逮捕并于 10 月 29 日被送上了断头台.

哈里奥毕业于牛津大学，是一位杰出的数学家、天文学家和航海家．他曾研究过三次方程的求解，写过一本 *Artis Analyticae Praxis* 《实用分析术》．这是最早的数学著作之一，沿用至今的数学符号 > 和 < 就是由他引入的．他是最早用望远镜观测月球和太阳的人之一，并发现了太阳黑子．他的这些天文观测甚至比伽利略的还早．他的画像至今仍陈列在牛津大学三一学院的走廊中．

哈里奥是原子论的一位倡导者．该学说认为一切物质都是由一些像小球一样的原子构成．所以，研究小球的堆积可以理解物质的结构和性质．1601 年前后，他写信将这一想法和堆球问题告诉了在布拉格任神圣罗马帝国皇家天文学家的开普勒 (Johannes Kepler, 1571—1630)．那时开普勒正在创立他的天体理论，所以没有多少时间和兴趣研究微观世界．

1611 年，开普勒出版了一本小册子 *The Six-Cornered Snow Flake* 《论六角形的雪花》．在这本著作中他不仅试图解释雪花为什么是六角形，还探讨了蜂房的结构、石榴的籽为什么是十二面体等．这是最早用几何的理念来探讨自然的著作之一．开普勒认为，雪花之所以是六角形原因在于：一个圆盘最多能跟六个相同的圆盘同时相切，正六边形可以平铺整个平面．特别地，在这本著作中他还考虑了堆球问题并提出了如下猜想：

图 5

图 6

> 在一个容器中堆放同样的小球, 所能得到的最大密度是 $\pi / \sqrt{18}$.

这就是著名的开普勒猜想. 如前面所说, 哈里奥所构造的堆积恰好达到这一密度. 问题是如何证明这就是最大值. 这是数学历史上最古老、最著名的问题之一.

图 7 Johannes Kepler (1571—1630)

开普勒于 1571 年生于德国的斯图加特附近.
他曾在杜宾根大学学习神学、数学和天文. 受
天文学家 Mästliu 的影响, 他深信当时还饱受迫
害和排挤的哥白尼学说: 地球自转且绕太阳公
转. 1594 年, 他到格拉茨 (奥地利) 的一所神学
院教授数学和天文. 第二年, 他写了一篇论
文 *Mysterium Cosmographicum*《神秘的宇宙》.
这篇文章给天文学家布拉赫 (Tycho Brahe,
1546—1601) 留下了深刻印象. 那时, 他是神圣
罗马帝国皇帝鲁道夫二世的皇家天文学家. 1600
年, 布拉赫邀请开普勒到布拉格做他的助手. 1601
年, 布拉赫去世, 开普勒接替了他的职位.

1609 年开普勒的 *Astronomia Nova*《新天文
学》出版. 在这部著作中他提出了行星运动的两
个定律. 第一定律: 行星运行的轨道为椭圆, 太阳
恰好为该椭圆的一个焦点. 第二定律: 行星与太阳
连线在等长的时间内扫过的面积相同. 这两个定
律将哥白尼学说建立在科学的基础之上, 正式宣布
古希腊天文学的结束. 1619 年, 开普勒又出版了
Harmonices Mundi《宇宙的和谐》. 在这部著作
中他提出了行星运动的第三定律: 行星绕行太阳一
周所需要的时间 T 和椭圆轨道的半长轴 R 满足如
下关系: T^2/R^3 是一个常数. 这三个定律将太阳系
用数学统一起来, 为牛顿的万有引力学说奠定了基
础. 《新天文学》和《宇宙的和谐》是人类文明历
史上非常重要的两部著作.

开普勒不仅是一位伟大的天文学家, 也是一位

伟大的数学家. 1615 年, 他在 *Nova Stereometria Doliorum Vinariorum*《酒桶的立体几何》中提出了将复杂几何体切成小片, 将小片用已知公式近似计算出体积, 然后将小片的近似体积相加求出原几何体的体积. 这正是积分的原始思想. 那时, 牛顿和莱布尼茨都还未降生.

虽然开普勒贵为神圣罗马帝国皇帝的皇家天文学家, 但他一生坎坷, 历经贫困. 作为新天文学的奠基人, 他不断受到宗教势力的迫害. 他的母亲曾被当做"女巫"受到酷刑和关押. 皇帝本身不懂科学, 又吝啬, 任命皇家科学家仅仅是为了附庸风雅. 给开普勒的薪俸本来就不多, 还时常拖欠. 其实, 伟大的科学家开普勒正是病死在讨还皇帝所欠薪俸的路上.

2. 牛顿与格里高利的一次讨论

1694 年的一天, 35 岁的皇家学会会员、牛津大学天文学教授格里高利 (David Gregory, 1659—1708) 到剑桥大学拜访伟大的牛顿 (Sir Isaac Newton, 1643—1727). 两人开始时讨论太阳周围应该有多少颗行星. 不知不觉他们的话题转到了如下问题:

> 一个球能否跟十三个同样的球同时相切?

牛顿认为"不能"; 格里高利认为"能". 在有些文献中, 它也被称为十三球问题.

图 8 Sir Isaac Newton
(1643—1727)

图 9 David Gregory
(1659—1708)

牛顿提到了图 4 中的例证: 中间的球恰与十二个同样的球同时相切. 这时周围的十二个球都是相对固定的. 也就是说, 在保持与中间的球相切的前提下, 不能单独移动任何一个. 当然, 可以将最上面的三个球在原平面沿纵轴转动 $\pi/3$ 得到一个新的相切图形. 它也是相对固定的.

这时, 格里高利想到了正二十面体 (如图 10 所示.) 它恰好有十二个顶点. 也许由此能构造出另外一个相切图形?

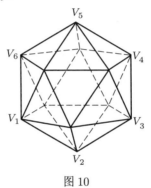

图 10

仔细观察可以发现: 正二十面体是中心对称的. 它的所有顶点共球面. 由于六边形 $V_1 V_2 \cdots V_6$ 中心对称, 但不共面, 所以每条边对应的内角大于 $\pi/3$. 由此可以得出正二十面体的棱长一定大于顶点到中心的距离. 所以, 如图 11 所示, 这十二个球不仅可以同时与中间的球相切, 而且它们之间都有一定的空隙. 也就是说, 在保持与中间的球相切的前提下, 任何一个都可以在适当的范围内自由移动. 格里高利认为, 也许将这十二个球通过适当的移动

11

会产生一个足够大的空隙从而得到第十三个相切的球.

图 11

　　这一构造的确让人惊讶. 然而, 沉思良久, 牛顿还是坚信不能使十三个球同时与中间的球相切.

　　这是一次著名的讨论. 牛津大学教堂学院的档案馆至今收藏着格里高利当年的记录. 那是在三个世纪以前, 当时基督教几乎是每个欧洲人的信仰, 所以有些学者甚至把这一讨论与耶稣的十二个门徒相联系.

　　戴维·格里高利成名很早. 24 岁就被任命为爱丁堡大学的数学教授, 32 岁被任命为牛津大学的天文学教授并入选英国皇家学会会员. 他是牛顿理论的追随者、解释者和捍卫者. 但他本人并没有杰出的科学贡献. 我们在数学分析中学到的格里高利公式

$$\frac{\pi}{4} = 1 - \frac{1}{3} + \frac{1}{5} - \frac{1}{7} + \cdots$$

是由他的叔叔詹姆斯·格里高利 (James Gregory,

1638—1675) 发现的. 詹姆斯·格里高利虽然英年早逝, 却对微积分作出了重要贡献.

艾萨克·牛顿是历史上最伟大的科学家之一. 他于 1687 年出版 *Philosophia Naturalis Principia Mathematica*《自然哲学的数学原理》. 这部科学巨著提出了万有引力定律和三大运动定律, 奠定了物理学的基础, 推动了科学革命. 在力学上, 牛顿阐明了动量和角动量守恒的原理. 在光学上, 他发明了反射望远镜, 并基于对三棱镜将白光分解成可见光谱的观察, 发展了颜色理论. 在数学上, 牛顿与莱布尼茨 (Gottfried Wilhelm von Leibniz, 1646—1716) 共同奠定了微积分的基础. 他证明了二项式定理, 提出了 "牛顿法" 以逼近函数的零点⋯⋯

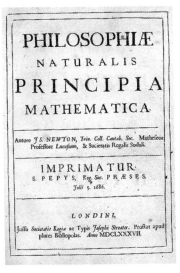

图 12

艾萨克·牛顿爵士于 1727 年 3 月 31 日逝世.
他被安葬在伦敦的威斯敏斯特大教堂, 与达尔文、
狄更斯等大师为邻. 图 13 是牛顿墓.

图 13

3. 高斯的意外贡献

当一个科学问题太复杂、太困难时，人们常常加一些有规律的限制条件，处理一些特殊的情况。这样既可以得到一些解决问题的信心，也可以寻找一些思路上的感觉。

在哈里奥和开普勒的堆球研究中，球是任意放的。也就是说，对球心的位置没有任何限制。显然，这正是问题的困难所在。下面我们介绍一般 n 维空间中非常有规律的一类点集合——格。对 n 维空间不熟悉的读者，取 $n = 2$ 即得到平面，取 $n = 3$ 即得到我们居住的空间。

为了叙述方便，我们用 $\mathbf{Z}$ 表示所有整数构成的集合，E^n 表示 n 维欧氏空间，黑体小写字母表示 E^n 中的点或向量，B^n 表示以坐标原点为球心的 n 维单位球，即

$$B^n = \left\{ (x_1, x_2, \cdots, x_n) : \sum_{i=1}^{n} x_i^2 \leqslant 1 \right\}.$$

如果 $\boldsymbol{a}_1$, $\boldsymbol{a}_2$, $\cdots$, $\boldsymbol{a}_n$ 是 E^n 中 n 个线性无关的

向量, 我们称

$$\Lambda = \left\{ \sum_{i=1}^{n} z_i \boldsymbol{a}_i : \ z_i \in \mathbf{Z} \right\}$$

是由 $\boldsymbol{a}_1,\ \boldsymbol{a}_2,\ \cdots,\ \boldsymbol{a}_n$ 生成的一个格. 向量组 $\{\boldsymbol{a}_1, \boldsymbol{a}_2, \cdots, \boldsymbol{a}_n\}$ 则被称为格 Λ 的一组基. 显然, 这一组基也定义了一个多面体

$$P = \left\{ \sum_{i=1}^{n} \lambda_i \boldsymbol{a}_i : \ 0 \leqslant \lambda_i \leqslant 1 \right\}.$$

通常, 它被称为格 Λ 的基本体. 例如, 当 $n = 2$ 时它是一个平行四边形, 当 $n = 3$ 时它是一个平行六面体. P 之所以被称为 Λ 的基本体是因为通过 Λ 中的点平移 P 恰好铺满整个空间 E^n. 例如, 在平面中所有的格都是如下形状的:

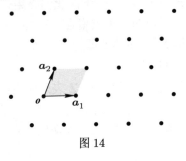

图 14

如果 $\boldsymbol{a}_i = (a_{i1}, a_{i2}, \cdots, a_{in})$ 且用 $\boldsymbol{A}$ 表示 $n \times n$ 矩阵 (a_{ij}), 那么基本体 P 的体积 $v(P)$ 即 $\boldsymbol{A}$ 的行列式的绝对值. 这时, Λ 也可以表示为

$$\Lambda = \{\boldsymbol{z}\boldsymbol{A} : \boldsymbol{z} \in \mathbf{Z}^n\}, \tag{3.1}$$

其中 $\mathbf{Z}^n$ 表示 E^n 中所有坐标均为整数的点构成的集合. 一个格 Λ 有无穷多组不同的基, 所以也就有无穷多个不同的基本体. 但是, 这些基本体的体积却是相等的, 记为 $d(\Lambda)$.

在三维空间, 如果把许多单位球堆放得很有规律, 使它们的球心构成一个格 Λ (或者一个格的一部分). 那么, 堆积的密度就等于单位球的体积与格的基本体的体积之比, 即 $4\pi/3d(\Lambda)$.

高斯 (Carl Friedrich Gauss, 1777—1855) 从来没有研究过堆球问题. 但他却得到了自开普勒以来关于堆球的第一个重要结果:

> 在三维空间堆放同样大的小球. 如果它们的球心构成一个格 (或者一个格的一部分), 那么堆积的密度不会超过 $\pi/\sqrt{18}$.

假设

$$F(\boldsymbol{x}) = \Sigma c_{ij} x_i x_j = \boldsymbol{x} \boldsymbol{S} \boldsymbol{x}'$$

是一个三元正定二次型. 其中 $\boldsymbol{S}$ 是一个 3×3 的正定对称矩阵, $\boldsymbol{x}'$ 表示 $\boldsymbol{x}$ 的转置向量. 令 $\lambda(F)$ 表示 $F(\boldsymbol{x})$ 在所有非原点的整点达到的最小值. 即

$$\lambda(F) = \min_{\boldsymbol{z} \in \mathbf{Z}^3 \setminus \{\boldsymbol{o}\}} F(\boldsymbol{z}).$$

可以想象, $\lambda(F)$ 与 $\boldsymbol{S}$ 的行列式 $|\boldsymbol{S}|$ 之间应当有些关联.

1840 年, 高斯得到了如下结论:

> 所有三元正定二次型 $F(\boldsymbol{x}) = \boldsymbol{x} \boldsymbol{S} \boldsymbol{x}'$ 都满足
> $$\lambda(F)^3 \leqslant 2|\boldsymbol{S}|.$$

从表面上看, 这两个结论的确大相径庭. 其实, 它们是等价的. 由线性代数的基本知识我们知道

$$S = AA',$$

其中 A 是某一个 3×3 的实矩阵, A' 是 A 的转置矩阵. 这时, 正定二次型 $F(x)$ 可以表示为

$$F(x) = xAA'x' = \langle xA, xA \rangle = \|xA\|^2, \quad (3.2)$$

其中 $\langle x, y \rangle$ 表示向量 x 和 y 的内积, $\|x\|$ 表示向量 x 的长度.

回顾 (3.1), $\Lambda = \{zA : z \in \mathbf{Z}^3\}$ 是一个格. 由 (3.2) 可以看出 $\sqrt{\lambda(F)}$ 即 Λ 中最短向量的长度. 所以在每个格点放一个半径为 $\sqrt{\lambda(F)}/2$ 的球我们就得到一个球堆积, 即任意两个球的内部都互不相交. 而该堆积的密度恰为

$$\frac{4\pi \sqrt{\lambda(F)}^3}{24 |A|} = \frac{\pi}{6} \cdot \sqrt{\frac{\lambda(F)^3}{|S|}}.$$

可见它们的等价性.

像开普勒和牛顿一样, 高斯也是历史上最伟大的科学家之一. 他对数学、物理、天文、大地测量等诸多学科做出过划时代的工作. 在数学领域他有多项永垂青史的工作. 这里仅列举几个易懂的例子:

代数基本定理: 一个 n 次复系数多项式有且仅有 n 个复根.

图 15　Carl Friedrich Gauss (1777—1855)

二次互反律：　定义

$$\left(\frac{p}{q}\right) = \begin{cases} 1, & \text{如果 } x^2 \equiv p \mod q \text{ 有解;} \\ -1, & \text{如果 } x^2 \equiv p \mod q \text{ 无解,} \end{cases}$$

其中 p 和 q 为互异奇素数. 那么

$$\left(\frac{p}{q}\right)\left(\frac{q}{p}\right) = (-1)^{\frac{1}{4}(p-1)(q-1)}.$$

高斯 – 博内公式：　若 S 是一个封闭曲面, 那么

$$\iint_S k\mathrm{d}\sigma = 2\pi\chi,$$

其中 k 是面积元 $\mathrm{d}\sigma$ 处的高斯曲率, χ 是曲面的欧拉示性数.

　　值得指出的是, 代数基本定理即是高斯的博士论文. 另外, 他还精准地预测了素数的分布:　用

$\pi(x)$ 表示不大于 x 的素数的个数, 那么

$$\pi(x) \sim \frac{x}{\log x}.$$

在数学的历史上, 德国的哥廷根大学曾有过独一无二的辉煌: 高斯, 狄利克雷 (Peter Gustav Lejeune Dirichlet, 1805—1859), 黎曼 (Georg Friedrich Bernhard Riemann, 1826—1866), 克莱因 (Felix Klein, 1849—1925), 希尔伯特 (David Hilbert, 1862—1943), 闵可夫斯基 (Hermann Minkowski, 1864—1909), 诺特 (Emmy Noether, 1882—1935) 等曾在那里任教. 冯·诺伊曼 (John von Neumann, 1903—1957), 外尔 (Hermann Weyl, 1885—1955), 西格尔 (Carl Ludwig Siegel, 1896—1981), 库朗 (Richard Courant, 1888—1972) 等都曾在那里学习工作过. 这一数学帝国的开创者就是高斯. 可惜, 第二次世界大战终结了哥廷根的数学辉煌.

图 16

图 17

图 18

　　许多民族将他们的伟人肖像印在邮票上,也有一些国家将他们的伟人的肖像印在货币上. 曾经享受过这一殊荣的数学家有英国的牛顿、德国的高斯和瑞士的欧拉等. 可惜这些钱币都已经不流通了.

4. 贪婪的国王与聪明的银器匠

有个贪婪的国王要把一些黄金做成小金币. 国王问他的科学顾问: "顾问先生, 我要把 0.1 m³ 黄金做成 2 mm 厚的小金币, 然后摆放到一块方形地毯上展览. 地毯最小应该多大?"

科学顾问想: 若将这些黄金做成 2 mm 厚的薄片, 面积应是 50 m². 在平面上排放小圆盘的最大密度是 $\pi/\sqrt{12} \approx 0.906\,899\,68$[①]. 所以, 摆放这些圆盘形小金币的正方形地毯的面积最小应为 $50 \div 0.906\,899\,68 \approx 55.132\,889\,67$ m², 也就是说边长应为 7.425 m.

得到精确答案后, 顾问先生慢条斯理地回答: "陛下, 地毯的边长应该是 7.425 m."

几天后, 国王让人准备了一块边长为 7.43 m 的正方形地毯. 然后他请来了一个著名的银器匠. 参拜完毕, 国王对银器匠说: "请你把这 0.1 m³ 黄金做成 2 mm 厚的小金币. 我要用这些金币来装饰这

① 这一结论很容易被猜到. 严格证明却并非易事. 1892 年挪威数学家图埃 (A. Thue, 1863—1922) 给出了一个证明思路. 严格证明是 1910 年发表的.

22

块地毯. 剩余的黄金就算你的工钱. 如果不够的话, 说明你偷了我的黄金. 我要重重地责罚."

银器匠深知国王是一个贪婪的人. 不接受这项委派吧, 可能会因抗旨招来杀身之祸; 接受的话, 很可能要赔钱. 他战战兢兢地问道: "陛下, 请问地毯如何装饰?"

国王说: "这里有一张合同. 所有要求全写在上面了. 你跪安吧!"

三呼万岁后, 银器匠带着黄金和合同回到了家. 傍晚, 银器匠的好朋友赖因哈特 (K. Reinhardt) 博士来访. 两位好友谈起了国王委派的任务. 博士也怀疑国王的贪婪. 他认真看了一遍合同. 沉思良久, 然后对银器匠说: "老朋友, 最近我发现了一个很奇妙的几何图形. 也许它能帮助你, 起码会使你减少一些损失."

第二天, 赖因哈特博士给银器匠带来了一个看上去很像正八边形的几何图形①, 只是每个角都很光滑. 博士对银器匠说: "你把硬币做成这种形状会给你带来好运." 银器匠很相信赖因哈特博士, 再说他也没有别的选择. 他按照博士提供的图形做好模具, 然后将所有的黄金都做成了金币.

交货的那天格外隆重. 国王请来了他的所有大臣和顾问. 当着大家的面, 他让首相大声朗读合同

---

① 1937 年, 德国数学家赖因哈特发现将正八边形的每个角都用某种抛物线截掉得到的凸区域的最大堆积密度是 0.902 414 183, 比圆盘的最大堆积密度小 0.004 485 5. 这是一个惊人的发现. 他猜测这是凸区域堆积密度的最小值. 七十多年过去了, 这一猜想至今还没有被证实.

并逐条严格检查:

第一 不得掺假, 黄金纯度为百分之百.

第二 金币的厚度均为 2 mm.

  ......

第九 装饰地毯时, 金币不能交叉重叠. 剩余金币作为银器匠的酬劳.

  ......

当读到第九条时, 国王让他的科学顾问按最密的方案在地毯上排列金币. 顾问先生一看金币的形状顿时惊慌失措. 他战战兢兢, 试图排的最好. 尽管这样, 最后还是剩了许多金币, 足有 5 kg 还多.

图 19

国王非常生气. 他本来计划不仅不给银器匠工钱, 还要从他那里榨取一些. 可如今他却要付出许多钱. 但是, 当着众多大臣的面, 他又不好反悔和发作, 只好眼睁睁地看着银器匠把余下的金币全拿走了.

5. 闵可夫斯基的直觉与天才

如果说雷利爵士的堆球问题是一粒种子，那么数的几何就是由这一粒种子繁衍出来的一片果园：有奇异美丽的花朵，更有美妙可用的果实. 而这一果园的拓荒者则是天才数学家闵可夫斯基.

图 20　Hermann Minkowski (1864—1909)

在 n 维欧氏空间 E^n, 如果连接某个有界闭集合 K 中的任意两点的整条线段都属于该集合. 则称集合 K 是一个凸体. 显然, 圆盘和正多边形区域都是二维凸体; 球和立方体都是凸体. 为了方便, 我们用 B^n 表示以坐标原点为球心的 n 维单位球, 用 C^n 表示以坐标原点为中心的 n 维单位立方体, 用 $v(K)$ 表示 K 的 n 维体积.

假设在边长为 ℓ 的立方体 ℓC^n 中最多可以堆放 $m^\bullet(\ell, K)$ 个与 K 完全相等的几何体; 最多可以堆放 $m(\ell, K)$ 个与 K 平移相等 (经过平移可以与 K 重合) 的几何体; 最多可以堆放 $m^*(\ell, K)$ 个与 K 平移相等且平移点是某一格的子集的几何体. 容易看出, 它们满足

$$m^*(\ell, K) \leqslant m(\ell, K) \leqslant m^\bullet(\ell, K). \tag{5.1}$$

这时我们定义

$$\begin{aligned}\delta^\bullet(K) &= \lim_{\ell \to \infty} \frac{m^\bullet(\ell, K) \cdot v(K)}{v(\ell C^n)} \\ &= \lim_{\ell \to \infty} \frac{m^\bullet(\ell, K) \cdot v(K)}{\ell^n},\end{aligned}$$

$$\begin{aligned}\delta(K) &= \lim_{\ell \to \infty} \frac{m(\ell, K) \cdot v(K)}{v(\ell C^n)} \\ &= \lim_{\ell \to \infty} \frac{m(\ell, K) \cdot v(K)}{\ell^n}\end{aligned}$$

和

$$\begin{aligned}\delta^*(K) &= \lim_{\ell \to \infty} \frac{m^*(\ell, K) \cdot v(K)}{v(\ell C^n)} \\ &= \lim_{\ell \to \infty} \frac{m^*(\ell, K) \cdot v(K)}{\ell^n}.\end{aligned}$$

这些极限确实都存在. 通常, 我们分别称 $\delta^\bullet(K)$, $\delta(K)$ 和 $\delta^*(K)$ 为凸体 K 的最大全等堆积密度、最

大平移堆积密度和最大格堆积密度. 由 (5.1) 容易得到

$$\delta^*(K) \leqslant \delta(K) \leqslant \delta^{\bullet}(K) \leqslant 1.$$

在 $\delta^{\bullet}(K)$, $\delta(K)$ 和 $\delta^*(K)$ 的定义中, C^n 只是一个参照物, 把它换成任一凸几何体所定义的极限值都不会改变. 在这样的严格定义下, 近代数学家普遍认同开普勒猜想即

$$\delta(B^3) = \frac{\pi}{\sqrt{18}}.$$

闵可夫斯基是历史上最著名的天才数学家之一. 他以 18 岁荣获法国科学院竞赛大奖 (确定了将一个自然数表示为 5 个平方和的不同种数) 成就了一位数学天才的美名. 在随后的数学生涯中, 他以创立了数的几何而名垂青史.

数的几何起源于拉格朗日 (Joseph Louis Lagrange, 1736—1813), 高斯和埃尔米特 (Charles Hermite, 1822—1901) 关于正定二次型在整点取值的研究, 即正定二次型的算术理论. 闵可夫斯基观察到一个正定二次型确定了一个椭球和一个格, 椭球是凸几何体的特例, 格则是所有整点集合的推广. 基于天才的几何直觉, 他证明了如下结论:

> 假设 C 是 n 维欧氏空间中一个中心对称的凸几何体 (以原点为中心), 如果 C 的体积不小于 2^n, 那么除原点外它一定还包含一个整点.

这就是数的几何这一数学分支的基石, 被称为闵可夫斯基基本定理. 这一定理不仅可以导出几乎

所有经典丢番图 (Diophantus, 约 246—330) 逼近的结论以及关于代数数域中单位元的狄利克雷定理, 改进埃尔米特常数的估计, 而且可以导出拉格朗日的四平方和定理[①], 可见其重要性.

在基本定理的基础上, 闵可夫斯基证明了如下结论:

$$\delta^*(B^n) \geqslant \frac{\zeta(n)}{2^{n-1}}, \tag{5.2}$$

其中 $\zeta(x) = \sum\limits_{k=1}^{\infty} k^{-x}$ 即著名的黎曼 ζ 函数. 这是关于 n 维空间中球堆积密度的第一个一般结论.

闵可夫斯基是历史上最富有几何想象力的数学家之一. 他曾做过两个几何猜想. 第一, (5.2) 对所有中心对称的凸几何体都成立. 第二, 在 n 维立方体的任一格平铺中一定存在共面对, 即两个立方体有一个完整的公共面. 前一个猜想于 1943 年由拉夫卡 (Edmund Hlawka, 1916—2009) 证明, 以闵可夫斯基 – 拉夫卡定理著称; 后一猜想于 1941 年由哈约什 (György Hajós, 1912—1972) 证明, 被称为闵可夫斯基 – 哈约什定理. 值得注意的是如果去掉格的限制第二个猜想则不对.

每一个科学家都有他的学术遗憾, 闵可夫斯基也不例外. 在苏黎世高等理工学院任教时, 他听说

---

① 每一个自然数 k 都可以表示为四个整数 a, b, c 和 d 的平方和, 即

$$k = a^2 + b^2 + c^2 + d^2.$$

了四色猜想: 每一张地图都可用四种不同的颜色染色, 使得任何两个相邻国家的颜色都不同. 他立刻停下讨论班的内容, 试图给出一个证明. 一次、两次、三次, 讨论班就要结束了, 虽然他做了许多推导, 但终究还是方法不对. 这时窗外闪电雷鸣, 下起了大雨. 闵可夫斯基自我解嘲地说: "你们看, 上帝都对我的自负发怒了. 看来我是证不出这一猜想了."

闵可夫斯基是一个幸运儿, 他曾受教于许多大科学家. 例如韦伯 (Wilhelm E. Weber, 1804—1891), 沃伊特 (Woldemar Voigt, 1850—1919), 库默尔 (Ernst Kummer, 1810—1893), 克罗内克 (Leopold Kronecker, 1823—1891), 魏尔斯特拉斯 (Karl T. Weierstrass, 1815—1897), 亥姆霍兹 (Hermann von Helmholtz, 1821—1894) 和克希霍夫 (Gustav R. Kirchhoff, 1824—1887), 他的获奖论文曾得到若尔当 (Camille Jordan, 1838—1922) 和贝特朗 (Joseph L. Bertrand, 1822—1900) 的推崇, 他与希尔伯特结下的友谊更是数学史中的佳话. 可惜他与伽罗瓦 (Evariste Galois, 1811—1832), 阿贝尔 (Niels H. Abel, 1802—1829) 和黎曼一样英年早逝, 给数学史留下了悲壮的一页. 去世前, 他任哥廷根大学教授, 与希尔伯特和克莱因为同事.

6. 希尔伯特问题

1900 年, 在巴黎举行过一次世界数学家大会. 在那次大会上, 希尔伯特以"数学中的问题"为题做了一次报告, 提出了他的 23 个数学问题. 这是数学历史上最著名、最重要的一次报告.

这些问题大多都是著名的老问题, 并非由希尔伯特提出. 例如费马大定理、黎曼假设等. 但是, 由希尔伯特于世纪之交统一呈献给大家这一举动在很大程度上强调了它们的重要性. 这些问题也确实主导了数学在 20 世纪的发展.

希尔伯特本人并没有研究过堆球问题. 受闵可夫斯基的影响, 他深知这一问题的难度和重要性. 所以, 他将堆积问题列为第 18 问题的第三部分:

> 如何堆放无穷多个同样的物体, 比如球和正四面体, 使得堆积的密度最大?

闵可夫斯基曾研究过正四面体 T 和正八面体 O 的格堆积密度. 他提出了一套完整的判别法并得到

$$\delta^*(O) = \frac{18}{19}$$

和

$$\delta^*(T) = \frac{18}{19}.$$

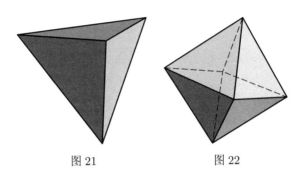

图 21 　　　　　　　　 图 22

可惜他在确定 $\delta^*(T)$ 的值时犯了一个严重的错误.
通常,

$$D(K) = \{\boldsymbol{x} - \boldsymbol{y} : \boldsymbol{x}, \boldsymbol{y} \in K\}$$

被称为 K 的差体. 闵可夫斯基发现 $K + X$ 是一个
堆积当且仅当 $\frac{1}{2}D(K) + X$ 是一个堆积. 所以他导
出了

$$\delta^*(K) = \frac{v\left(\dfrac{1}{2}D(K)\right)}{v(K)} \cdot \delta^*(D(K)).$$

这是一个非常重要的发现. 可惜他错误地认为正四
面体的差体是一个正八面体, 即

$$D(T) = O.$$

　　容易验证, 正四面体的差体不是正八面体, 而
是如图 23 形状的一个几何体. 它的表面有六个正

方形和八个正三角形. 实际上, 正四面体的最大格堆积密度是 18/49, 即

$$\delta^*(T) = \frac{18}{49}.$$

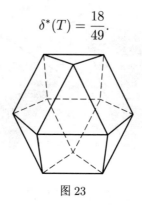

图 23

闵可夫斯基的这一错误是由格勒默尔 (H. Groemer) 发现的. 正确结论则是由格勒默尔的一位博士研究生赫尔曼 (D. J. Hoylman) 于 1970 年得到的.

开普勒猜想是如此的直觉和自然, 却又超乎寻常地困难. 以至于许多名家发出饱含幽默的感叹. 早在 1959 年, 当代著名数学家罗杰斯 (Claude A. Rogers, 1920—2005) 曾写道: "许多数学家深信, 所有的物理学家都知道, 三维空间中球堆积的最大密度是 $\pi/\sqrt{18}$." 1976 年, 菲尔兹奖获得者米尔诺 (John W. Milnor, 1931—   ) 对这一猜想做了更精辟的评论: "这实在是一个让人难堪的局面: 结论的正确性自高斯以来就知道了, 所缺少的仅仅是一个证明."

7. 牛顿是对的

从表面上看, 牛顿与格里高利的十三球问题既自然又简单, 甚至可以当成一个数学游戏. 其实, 解决这一问题远不是一件容易的事. 更有意思的是, 曾有多位学者在这一问题上还出过错. 例如, 德国的霍佩 (R. Hoppe) 和贡特 (S. Günter).

1953 年, 通过运用图论的一些想法, 舒特 (K. Schütte) 和范德瓦尔登 (B. L. van der Waerden)首次解决了这一问题. 答案如牛顿所预言, 是"不能". 1956 年, 英国数学家利奇 (John Leech, 1926—1992) 发表了一个只有两页的"证明". 他的想法非常巧妙.

用 B 表示以坐标原点为中心的一个单位球, 用 S 表示它的表面. 假设最多有 v 个两两内部互不相交的单位球 $B+2\boldsymbol{x}_1, B+2\boldsymbol{x}_2, \cdots, B+2\boldsymbol{x}_v$ 可以同时与 B 相切. 显然 $\boldsymbol{x}_i$ 都在 S 上. 对于 S 上的任意两点 $\boldsymbol{x}$ 和 $\boldsymbol{y}$, 我们用 $\|\boldsymbol{x}, \boldsymbol{y}\|'$ 表示它们之间的球面距离, 即单位向量 $\boldsymbol{x}^0$ 与 $\boldsymbol{y}^0$ 之间的夹角. 由前面的假设容易看出

$$\|\boldsymbol{x}_i, \boldsymbol{x}_j\|' \geqslant \frac{\pi}{3}$$

对所有不同的指标 i 和 j 都成立.

在 S 上构造一个以 $\{\boldsymbol{x}_1, \boldsymbol{x}_2, \cdots, \boldsymbol{x}_v\}$ 为顶点的网络, 其中 $\boldsymbol{x}_i$ 和 $\boldsymbol{x}_j$ 用大圆弧 (测地线) 相连当且仅当

$$\|\boldsymbol{x}_i, \boldsymbol{x}_j\|' < \arccos \frac{1}{7}.$$

不失一般性, 我们假设该网络不存在孤立点 (否则可以移动孤立点至不孤立的位置). 这时, 网络将球面 S 划分成了一系列球面多边形. 容易验证网络中的每个角都大于 $\pi/3$ (通过投影). 所以, 在每一顶点最多有 5 条边相遇.

假设 P_n 是网络中的一个 n 边形, P 是一个边长为 $\pi/3$ 的球面等边三角形. 可以验证面积 $s(P_n)$ 满足

$$s(P_3) \geqslant 0.551\,2 \cdots,$$

$$s(P_4) \geqslant 1.333\,8 \cdots,$$

$$s(P_5) \geqslant 2.226\,1 \cdots \tag{7.1}$$

以及

$$s(P_n) \geqslant (n-2)s(P). \tag{7.2}$$

用 v, e, f 分别表示网络的点、线、面的个数, 且用 f_n 表示其中 n 边形的个数. 由欧拉公式[①]我们得到

---

① 欧拉公式:

$$v - e + f = 2.$$

$$2v - 4 = 2e - 2f$$
$$= 3f_3 + 4f_4 + \cdots - 2(f_3 + f_4 + \cdots)$$
$$= f_3 + 2f_4 + 3f_5 + \cdots$$

比较球面的面积与多边形的面积之和, 我们得到

$$4\pi \geqslant 0.551\,2f_3 + 1.332\,8f_4 + 2.226\,1f_5 + \cdots$$
$$= 0.551\,2(f_3 + 2f_4 + 3f_5 + \cdots) + 0.230\,4f_4$$
$$+0.572\,5f_5 + \cdots$$
$$= 0.551\,2(2v - 4) + 0.230\,4f_4 + 0.572\,5f_5 + \cdots$$

由此容易得出 $v \leqslant 13$, 并且当 $v = 13$ 时必有 $f_4 \leqslant 1$ 以及对所有 $n \geqslant 5$ 都有 $f_n = 0$.

如果 $v = 13$ 并且 $f_4 = 0$, 我们得到的网络是一个三角剖分. 这时, 面数 f 和边数 e 显然满足

$$3f = 2e.$$

再由欧拉公式我们得到

$$e = 33.$$

因为

$$5 \times 13 = 65 \leqslant 2e = 66,$$

所以在某一点至少有 6 条边相遇. 这与前面所得的结论相矛盾.

如果 $v = 13$ 并且 $f_4 = 1$, 通过类似的方法可以得出网络只在一个点有 4 条边, 在所有其他点都有 5 条边. 而这样的网络是不存在的.

所以, 我们得到 $v \leqslant 12$. 也就是说, 牛顿的预言是正确的.

1998 年, 德国数学家艾格纳 (M. Aigner) 和泽格勒 (G. M. Ziegler) 出版了一部数学畅销书 *Proofs from THE BOOK* 《数学天书中的证明》. 这本书的理念来源于传奇数学家厄尔多斯 (Paul Erdös, 1913—1996). 他认为数学中有些证明是如此的美妙, 只能是上帝的创造, 数学家只不过是幸运地发现了它们而已. 所以他提议集中挑选一些这种证明, 出版一本书来反映数学之美. 可惜, 他没能看到这本书的出版就去世了.

图 24

这本书的第一版包括了利奇的证明. 该书一经出版, 顿时成了畅销书. 一天, 泽格勒收到一封电子邮件, 声称在推导公式 (7.1) 和 (7.2) 时遇到了困难, 请求指点迷津. 刚看到邮件时, 泽格勒并没有把这一问题想得很严重. 但是, 当他坐下来写回信时很快就陷入了困境: 他也推导不出来.

在接下来的几天中, 泽格勒面前的草稿纸一页页地增加. 经过近一周的努力, 他确实推导出了公式 (7.1) 和 (7.2). 但是, 这时整个证明已不再是两页长, 而是十几页了. 所以, 当《数学天书中的证明》再版时他们就把这一证明删掉了.

8. 塔默斯问题和德尔萨特引理

1930年, 荷兰植物学家塔默斯(P. M. Tammes)提出了如下问题:

在单位球的表面放置 m 个点, 试确定它们之间的最小球面距离可能达到的最大值 r_m.

换句话说, 在单位球的表面放置 m 个两两内部互不相交的等半径球冠, 试确定球冠的最大球面半径.

这一问题有几种不同的解释. 例如, 在球面上放置 m 个相同的带电体. 假设它们之间有极强的排斥力 (该排斥力随距离增加而迅速减小). 在排斥力的作用下, 这些带电体沿球面自由移动, 最后达到一个平衡状态. 试确定这些带电体在平衡状态时的相对位置.

塔默斯问题貌似简单, 实际上却非常复杂. 至今为止已知的精确结论仅有 $n \leqslant 12$ 和 $n = 24$ 的情况. 也许有人会奇怪, 为什么一下从 12 跳到了 24. 原因很简单, 在球面上存在具有 12 个顶点和 24 个顶点的对称结构, 而具有 13 ~ 23 个顶点的结构都不正规. 即便如此, $n = 24$ 时的论证还是非常复杂. 它是由鲁宾逊 (Raphael M. Robinson, 1911—1995) 于 1961 年解决的, 文章长达 31 页.

特别值得强调的是, 十三球问题可由 r_{13} 的值得到答案: 如果 $r_{13} \geqslant \pi/3$, 那么格里高利是对的, 即 13 个球可以与一个球同时相切; 如果 $r_{13} < \pi/3$, 则牛顿是对的, 即一个球最多只能与 12 个球同时相切. 所以, 从舒特和范德瓦尔登的结论可以得到

$$r_{13} < \frac{\pi}{3} = 1.047\,19 \cdots.$$

然而, 确定 r_{13} 的精确值极具挑战性. 2003 年, 匈牙利数学家伯勒茨基 (K. Böröczky) 和萨博 (L. Szabó) 用一篇长达 73 页的论文仅仅将上式改进为

$$r_{13} < 1.027\,461\,14 \cdots.$$

另一方面, 早在 1972 年费耶什·托特 (László Fejes Tóth, 1917—2004) 在他的名著中就曾证明

$$r_{13} > 0.997\,22 \cdots.$$

时至今日, 我们不仅不知道 r_{13} 的精确值, 而且连一个好的猜想都没有. 可见这类基本问题的难度.

这一问题的有些结果不仅考验人们的能力, 有时简直就是对想象力的挑战. 例如,

$$r_5 = r_6 \quad \text{和} \quad r_{11} = r_{12}.$$

一个好的问题就像一粒种子, 在合适的条件下就会生根、开花、结果、繁衍 …… 像开普勒猜想和十三球问题一样, 塔默斯问题也是这样一粒种子.

我们用 S^n 表示 n 维单位球 B^n 的表面, 即

$$S^n = \left\{ (x_1, x_2, \cdots, x_n) : \sum_{i=1}^{n} x_i^2 = 1 \right\},$$

用 $k(B^n)$ 表示能与 B^n 同时相切且两两内部互不相交的 n 维单位球的个数. 显然, 确定 $k(B^n)$ 的值即为 n 维的牛顿 – 格里高利问题.

假设 θ 是一个介于 0 和 $\pi/2$ 之间的实数. 我们定义 $m(n, \theta)$ 为 S^n 上两两之间的球面距离都不小于 θ 的点的最大个数. 容易看出, 这是塔默斯问题在高维空间的演变和推广. 特别地,

$$k(B^n) = m\left(n, \frac{\pi}{3}\right).$$

球面上的有限点集也被称为球面码. 许多信息论专家对相关问题感兴趣, 并且作出了重要贡献.

1972 年, 比利时信息论专家德尔萨特 (P. Delsarte) 发现了研究 $m(n, \theta)$ 的一个全新方法. 这一方法摆脱了原来的初等特征, 发现了堆球问题与编码理论和优化理论的深刻联系.

设 α 和 β 均为大于 -1 的给定实数. 那么由

$$P_k^{\alpha,\beta}(x) = \frac{1}{2^k} \sum_{i=0}^{k} \binom{k+\alpha}{i} \binom{k+\beta}{k-i} (x+1)^i (x-1)^{k-i}$$

所定义的一系列函数称为雅可比 (Carl G. J. Jacobi, 1804—1851) 多项式. 这是一类非常特殊的多项式, 可以被看成所有多项式构成的线性空间的一组正交基. 德尔萨特的核心发现是如下结论:

德尔萨特引理 取 $\alpha = (n-3)/2$ 并且定义

$$f(x) = \sum_{i=0}^{k} c_i P_i^{\alpha,\alpha}(x),$$

其中 c_i 均非负且 $c_0 > 0$. 如果当 $-1 \leqslant x \leqslant \cos\theta$ 时均有 $f(x) \leqslant 0$, 那么

$$m(n,\theta) \leqslant \frac{f(1)}{c_0}. \qquad (8.1)$$

这一结论的创造性在于把一个几何问题转化为一个最优化问题. 这是一个天才的发现. 它主导了堆球理论近四十年的发展, 取得了多项让人瞠目结舌的成就. 在后面的章节中我们将会陆续介绍.

9. 利奇格与康韦群

利奇是一位非常平凡的数学家 (第 7 节中我们曾提到他对十三球问题的一个证明). 但是, 在数学史的长河中他会以他的伟大发现 (利奇格) 永垂不朽. 他是一位剑桥大学毕业生, 曾参与早期计算机的研制. 后来一直在苏格兰斯特林大学担任讲师, 教授程序设计, 直到快退休时才晋升为副教授. 那时的计算机是用卡片输入程序, 而且一旦程序出错计算机就停机. 1948—1949 年, 贝尔实验室的汉明 (Richard W. Hamming, 1915—1998) 和戈莱 (Marcel J. E. Golay, 1902—1989) 发明了纠错码①, 从而使计算机能自动识别和纠正错误. 这是计算机发展史上最重要的事件之一. 1964 年, 在学习研究戈莱码 $(24, 12)$ 的时候, 利奇发现了一个二十四维的格——利奇格. 这是近代数学的重要发现

---

① 谁是纠错码的发明人, 是汉明还是戈莱? 这是信息论历史上一个著名的优先权公案. 普遍接受的公论是: 汉明于 1948 年提出了纠错码的思想并构造出了最早的纠错码 $(7, 4)$. 他把这一发现告诉了香农 (Claude E. Shannon, 1916—2001) 并着手申请专利. 1949 年初香农曾跟戈莱交谈讨论过汉明的发现. 戈莱在 1949 年发表了关于纠错码的第一篇论文, 其中包括著名的戈莱码 $(24, 12)$.

之一.

假设 $\{e_1, e_2, \cdots, e_{24}\}$ 是二十四维欧氏空间 E^{24} 的一组标准正交基. 在此基础上, 我们定义 24 个线性无关的向量:

$$a_1 = 2\sqrt{2}e_1, \qquad a_2 = \sqrt{2}(e_1 + e_2),$$
$$a_3 = \sqrt{2}(e_1 + e_3), \quad a_4 = \sqrt{2}(e_1 + e_4),$$
$$a_5 = \sqrt{2}(e_1 + e_5), \quad a_6 = \sqrt{2}(e_1 + e_6),$$
$$a_7 = \sqrt{2}(e_1 + e_7), \quad a_8 = (e_1 + \cdots + e_8)/\sqrt{2},$$
$$a_9 = \sqrt{2}(e_1 + e_9), \quad a_{10} = \sqrt{2}(e_1 + e_{10}),$$
$$a_{11} = \sqrt{2}(e_1 + e_{11}), \quad a_{12} = \sqrt{2}(e_1 + e_{13}),$$
$$a_{13} = (e_1 + \cdots + e_4 + e_9 + \cdots + e_{12})/\sqrt{2},$$
$$a_{14} = (e_1 + e_2 + e_5 + e_6 + e_9$$
$$\qquad + e_{10} + e_{13} + e_{14})/\sqrt{2},$$
$$a_{15} = (e_1 + e_3 + e_5 + e_7 + e_9$$
$$\qquad + e_{11} + e_{13} + e_{15})/\sqrt{2},$$
$$a_{16} = (e_1 + e_4 + e_5 + e_8 + e_9$$
$$\qquad + e_{12} + e_{13} + e_{16})/\sqrt{2},$$
$$a_{17} = \sqrt{2}(e_1 + e_{17}),$$
$$a_{18} = (e_1 + e_3 + e_5 + e_8 + e_9$$
$$\qquad + e_{10} + e_{17} + e_{18})/\sqrt{2},$$
$$a_{19} = (e_1 + e_4 + e_5 + e_6 + e_9$$
$$\qquad + e_{11} + e_{17} + e_{19})/\sqrt{2},$$
$$a_{20} = (e_1 + e_2 + e_5 + e_7 + e_9$$
$$\qquad + e_{12} + e_{17} + e_{20})/\sqrt{2},$$
$$a_{21} = (e_2 + e_3 + e_4 + e_5 + e_9$$
$$\qquad + e_{13} + e_{17} + e_{21})/\sqrt{2},$$

$$a_{22} = (e_9 + e_{10} + e_{13} + e_{14} + e_{17}$$
$$+ e_{18} + e_{21} + e_{22})/\sqrt{2},$$
$$a_{23} = (e_9 + e_{11} + e_{13} + e_{15} + e_{17}$$
$$+ e_{19} + e_{21} + e_{23})/\sqrt{2},$$
$$a_{24} = (-3e_1 + e_2 + \cdots + e_{24})/\sqrt{8}$$

以及

$$\Lambda_{24} = \left\{ \sum_{i=1}^{24} z_i a_i : z_i \in \mathbf{Z} \right\}.$$

这就是著名的利奇格 (Leech lattice).

利奇格有 196 560 个最短向量, 其长度为 2. 所以, 在 Λ_{24} 的每个点放置一个单位球 B^{24} (通常记为 $B^{24} + \Lambda_{24}$) 构成一个球堆积. 在这一个格堆积中每一个单位球恰好与 196 560 个其他的单位球同时相切. 另外, 经过计算 B^{24} 的体积和 Λ_{24} 的基本体的体积可以得到该堆积的密度为

$$\frac{v(B^{24})}{d(\Lambda_{24})} = \frac{\pi^{12}}{12!} = 0.001\,929 \cdots.$$

用 $k^*(B^n)$ 表示在格堆积中能与一个球同时相切的等半径球的最大个数. 显然, 我们有

$$k(B^n) \geqslant k^*(B^n).$$

所以, 由利奇格我们得到

$$k(B^{24}) \geqslant k^*(B^{24}) \geqslant 196\,560 \qquad (9.1)$$

和

$$\delta(B^{24}) \geqslant \delta^*(B^{24}) \geqslant \frac{\pi^{12}}{12!}.$$

利奇深信他的格所产生的球堆积既达到最大密度又达到最大相切数. 同时他还认为这个格的变换群非常特殊, 可能隐藏着某个散在单群. 所以, 他曾向许多人建议研究这一个格的变换群和球堆积, 其中包括考克斯特 (Harold S. M. Coxeter, 1907 —2003)、陶德 (John Todd, 1911 —2007)、希格曼 (Graham Higman, 1917 —2008) 和麦肯 (John McKay, 1939—) 等. 可惜由于他的名气和影响不大, 没有引起重视.

1967 年的一天, 麦肯到剑桥大学访问. 他拜访了康韦 (John H. Conway, 1937—) 和汤普森 (John G. Thompson, 1932—), 并向他们提到了确定利奇格的自同构群问题. 那时, 汤普森还没有获得菲尔兹奖. 但他已是世界公认的群论大家, 是剑桥大学的教授. 康韦则刚获博士学位不久, 在剑桥任讲师. 汤普森表示, 若能确定这个群的阶他将会对这个群很感兴趣. 所以, 康韦决定试一试.

康韦制定了一个临时计划: 每周六中午十二点到午夜, 周三晚上六点到午夜来研究这一问题, 暂定先试几个月. 这样, 一个周六的下午他开始实施他的计划: 他首先观察利奇格的最短向量, 根据坐标特征将它们分成三类, 然后考虑它们之间的可能变换. 接近六点的时候他初步确定这个群的阶可能是

$$2^{22} \cdot 3^9 \cdot 5^4 \cdot 7^2 \cdot 11 \cdot 13 \cdot 23,$$

或者是它的两倍.

他马上打电话把这一发现告诉汤普森. 对方对

这一发现非常激动. 他记下了这两种可能的阶数.
过了一会, 汤普森回电话给康韦: 群的阶数就是

$$2^{22} \cdot 3^9 \cdot 5^4 \cdot 7^2 \cdot 11 \cdot 13 \cdot 23,$$

而且它有三个子群是以前所不知道的散在单群[①].
两人互致晚安.

放下电话后, 康韦希望能把这个群表示出来
(否则, 还不能证明它的存在). 他列出一些特殊的
最短向量, 希望从它们的可能变换中找到规律. 晚
上十点钟时, 康韦感到疲惫不堪. 休息前他又给汤
普森打了电话, 告诉他找到的一些可能生成元 (一
些 24×24 的矩阵).

放下电话后, 康韦怎么也睡不着. 他再次来到
桌子旁构造他的超级矩阵. 凌晨零点 15 分, 他终于
完成了群的构造. 他再次打电话给汤普森: 我终于
找到它了!

这就是 Co·0 的诞生. 它本身并不是一个单群.
但它有三个子群 Co·1, Co·2 和 Co·3 都是散在单群.
它们的阶数分别是

$$2^{21} \cdot 3^9 \cdot 5^4 \cdot 7^2 \cdot 11 \cdot 13 \cdot 23,$$

$$2^{18} \cdot 3^6 \cdot 5^3 \cdot 7 \cdot 11 \cdot 23$$

[①] 单群分类是 20 世纪最伟大的数学成就之一. 数学家们最
终发现共有 26 个散在单群. 阶数最大的一个被称为魔群 (monster
group) 或怪兽群, 有

$2^{46} \cdot 3^{20} \cdot 5^9 \cdot 7^6 \cdot 11^2 \cdot 13^3 \cdot 17 \cdot 19 \cdot 23 \cdot 29 \cdot 31 \cdot 41 \cdot 47 \cdot 59 \cdot 71$

个元素.

和

$$2^{10} \cdot 3^7 \cdot 5^3 \cdot 7 \cdot 11 \cdot 23.$$

按照康韦的话说, 这十二个小时彻底改变了他的人生. 当然, 利奇格也从此永垂不朽!

10. 奇妙的构造

对于高维堆球问题, 找到一个好的例子已经非常不容易, 论证最佳看上去更是难上加难. 但是, 我们知道: 数学的美就在于它的神奇!

假设

$$F(\boldsymbol{x}) = \sum_{i,j=1}^{n} a_{ij} x_i x_j$$

是一个 n 元正定二次型. 令 $\lambda(F)$ 为 $F(\boldsymbol{x})$ 在非零整点达到的极小值, 即

$$\lambda(F) = \min_{\boldsymbol{x} \in \mathbf{Z}^n \setminus \{\boldsymbol{o}\}} F(\boldsymbol{x}),$$

$M(F)$ 为二次方程

$$F(\boldsymbol{x}) = \lambda(F)$$

整数解的个数. 那么由第 3 节的讨论可以得到

$$\max_F M(F) = k^*(B^n).$$

这就是为什么堆球也是一个数论问题的原因.

在 1970 年前后, 通过研究正定二次型, 沃森 (G. L. Watson) 得到了如下结论:

48

n	4	5	6	7	8	9
$k^*(B^n)$	24	40	72	126	240	272

容易理解, 由于格的周期性, 格堆积问题实际上是一个自由度相对很小的局部问题. 所以它比原始的堆球问题容易得多. 例如, 在 9 维欧氏空间 E^9, 一个球可以跟 306 个同样的球同时相切, 而在格堆积中最多只能跟 272 个同样的球同时相切.

这是 1972 年德尔萨特发表他的引理时人们关于 $k(B^n)$ 和 $k^*(B^n)$ $(n > 3)$ 的全部知识. 虽然德尔萨特引理给出了一个上界形式, 但它并没有引起重视. 首先, 人们不太相信一定存在多项式 $f(x)$ 使得 $f(1)/c_0$ 恰好达到 $m(n, \pi/3)$. 其次, 即使存在, 如何有效地将它构造出来?

科学研究就是这样, 人们总是容易向负面的方向想. 即使有些人想到了正确方向, 也会由于各种各样的难处望而却步. 只有极个别的人会坚定地走下去, 走下去, 直至走向成功.

1979 年, 苏联科学院应用数学研究所的列文斯坦 (Vladimir I. Levenshtein, 1935—), 美国贝尔实验室的奥德列斯库 (Andrew M. Odlyzko, 1949—) 和斯隆 (Neil J. A. Sloane, 1939—) 分别独立证明了下面两个结论. 其方法之精妙, 结论之意外, 让几乎所有的专家都目瞪口呆.

第一定理 在 E^8 中, 一个单位球能且最多仅能跟 240 个两两内部互不相交的单位球同时相切. 即

$$k(B^8) = k^*(B^8) = 240.$$

49

证明 取 $\alpha = (8-3)/2 = 2.5$, 并且将 $P_i^{\alpha,\alpha}(x)$ (见第 8 节中的定义) 简写为 P_i. 定义

$$\begin{aligned}
f(x) &= \frac{320}{3}(x+1)\left(x+\frac{1}{2}\right)^2 x^2\left(x-\frac{1}{2}\right) \\
&= P_0 + \frac{16}{7}P_1 + \frac{200}{63}P_2 + \frac{832}{231}P_3 + \frac{1\,216}{429}P_4 \\
&\quad + \frac{5\,120}{3\,003}P_5 + \frac{2\,560}{4\,641}P_6.
\end{aligned}$$

容易验证, 当 $\theta = \dfrac{\pi}{3}$ 时 $f(x)$ 满足德尔萨特引理的条件. 所以,

$$k(B^8) = m\left(8, \frac{\pi}{3}\right) \leqslant \frac{f(1)}{c_0} = 240.$$

这样, 由德尔萨特引理 (8.1) 和前面所介绍的沃森定理中 $k^*(B^8)$ 的值, 我们就得到了

$$k(B^8) = k^*(B^8) = 240.$$

定理得证!

第二定理 在 E^{24} 中, 一个单位球能且最多仅能跟 196 560 个两两内部互不相交的单位球同时相切, 即

$$k(B^{24}) = k^*(B^{24}) = 196\,560.$$

证明 取 $\alpha = (24-3)/2 = 10.5$, 并且将 $P_i^{\alpha,\alpha}(x)$ 简写为 P_i. 定义

$$f(x) = \frac{1\,490\,944}{15}(x+1)\left(x+\frac{1}{2}\right)^2$$

$$\cdot \left(x - \frac{1}{16}\right)^2 x^2\left(x - \frac{1}{2}\right)$$

$$= P_0 + \frac{48}{23}P_1 + \frac{1\,144}{425}P_2 + \frac{12\,992}{3\,825}P_3$$

$$+ \frac{73\,888}{22\,185}P_4 + \frac{2\,169\,856}{687\,735}P_5 + \frac{59\,062\,016}{25\,365\,285}P_6$$

$$+ \frac{4\,472\,832}{2\,753\,575}P_7 + \frac{23\,855\,104}{28\,956\,015}P_8$$

$$+ \frac{7\,340\,032}{20\,376\,455}P_9 + \frac{7\,340\,032}{80\,848\,515}P_{10}.$$

容易验证, 当 $\theta = \frac{\pi}{3}$ 时 $f(x)$ 满足德尔萨特引理的条件. 所以,

$$k(B^{24}) = m\left(24, \frac{\pi}{3}\right) \leqslant \frac{f(1)}{c_0} = 196\,560.$$

由德尔萨特引理 (8.1) 和 (9.1), 我们得到了

$$k(B^{24}) = k^*(B^{24}) = 196\,560.$$

定理得证!

毫无疑问, 找到证明这两个结论中的多项式 $f(x)$ 绝不仅仅是运气. 他们是通过大量的试验和计算找到的. 如果说他们的运气极好那可能是因为 E_8 和 Λ_{24} 提供的堆球模型给了他们必胜的信心. 所以, 惊叹之余人们不得不再次佩服利奇的直觉.

贝尔实验室曾拥有许多杰出的数学家: 从二十世纪四、五十年代的香农、汉明、戈莱, 六、七十

年代的奥得利斯库、斯隆、格雷厄姆 (Ronald L. Graham, 1935—), 到八、九十年代的拉噶瑞斯 (Jeffrey C. Lagarias, 1949—) 和绍尔 (Peter W. Shor, 1959—) 等. 多项世界级的数学成就是在那里发现的. 可惜, 二十世纪末他们都纷纷离去了.

对于堆球理论来说, 8 维空间和 24 维空间确实非常特别. 首先, 当 $n \geqslant 5$ 时我们至今仅仅知道 $k(B^8)$ 和 $k(B^{24})$ 的精确值. 其次, 在这两个空间中 $k(B^8) = 240$ 和 $k(B^{24}) = 196\,560$ 所对应的最佳结构在旋转和对称等价的意义下都是唯一的. 这是由坂内英一 (Eiichi Bannai, 1946—) 和斯隆证明的. 值得注意的是, 如第 2 节中所说, 在三维空间中 $k(B^3) = 12$ 所对应的最佳结构在旋转和对称等价的意义下却不是唯一的.

近半个世纪以来, 人们难以确定 $k(B^4)$ 是 24 还是 25? 直到 2008 年, 才由穆森 (O. Musin) 最终证明 $k(B^4) = 24$. 这一工作的核心方法也是德尔萨特引理, 但技巧却异常复杂.

德尔萨特引理不仅导出了这些精美的结果, 也导出了

$$\delta(B^n) \leqslant 2^{-0.599n(1+o(1))}. \qquad (10.1)$$

这是至今为止最好的一般上界. 是由卡巴彦斯基 (G. A. Kabatjanski) 和列文斯坦于 1978 年得到的.

11. 香 肠 猜 想

如何摆放 m 个 n 维单位球使得它们的凸闭包具有最小体积?

换句话说, 找一个离散点集合 $Q = \{q_1, q_2, \cdots, q_m\}$, 使得 $B^n + Q$ 中的单位球两两内部互不相交, 并且 $\overline{B^n + Q}$ 的体积达到极小值. 这里

$$\overline{X} = \{\Sigma \lambda_i \boldsymbol{x}_i : \boldsymbol{x}_i \in X; \ \lambda_i \geqslant 0, \ \Sigma \lambda_i = 1\}$$

是点集合 X 的凸包. 类似地, 人们对如下问题也非常感兴趣:

如何摆放 m 个 n 维单位球使得它们的凸闭包具有最小表面积?

让我们看一个平面中的例子. 为了方便, 我们用 l 表示凸闭包的周长, 用 s 表示凸闭包的面积.

将 7 个单位圆盘分别按照线形或六角形方式排列. 可以看到凸闭包的周长和面积都差别很大.

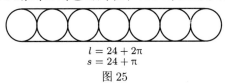

$$l = 24 + 2\pi$$
$$s = 24 + \pi$$

图 25

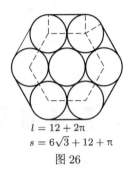

$$l = 12 + 2\pi$$
$$s = 6\sqrt{3} + 12 + \pi$$

图 26

即便在二维平面, 对于一个一般给定的 m, 无论是相对周长还是面积找出最佳排法都不是一件容易事. 但是, 当 m 很大时, 稍微有些几何直觉的人都会猜到周长和面积最小时的形状应该是近似圆形.

容易看出, 对于球的有限堆积, 无论是针对凸闭包的体积还是表面积最佳排列都与具体的 m 密切相关. 尽管如此, 我们还是希望找出最重要和最有一般性的一些结论. 早在 1975 年, 费耶什·托特针对球的有限堆积提出了如下猜想:

香肠猜想 当 $n \geqslant 5$ 时, 能够包含 m 个内部互不相交的 n 维单位球的凸体的体积达到最小值, 当且仅当这些球的球心在一条长度为 $2(m-1)$ 的线段上, 且两两之间的间隔为 2.

图 27

54

由于这一猜测形状的特殊性, 人们形象地称之为香肠猜想 (sausage conjecture). 也许读者感到这一猜想很神秘, 或者与我们的直觉矛盾. 其实, 做一下简单计算后你也会提出这一猜想的.

　　香肠形状有限球堆积的局部密度为

$$\delta(B^n, m) = \frac{m\omega_n}{\omega_n + 2(m-1)\omega_{n-1}},$$

这里

$$\omega_n = \frac{\pi^{n/2}}{\Gamma(n/2+1)}$$

表示 n 维单位球的体积. 当 n 充分大时, 由 $\Gamma(x)$ 的简单性质和 (10.1) 容易得到

$$\begin{aligned}
\delta(B^n, m) &= \frac{m}{1 + \pi^{-1/2}(m-1)n} \\
&\geqslant \frac{\pi^{1/2}}{n} \gg 2^{-0.599n(1+o(1))} \\
&\geqslant \delta(B^n).
\end{aligned}$$

可见香肠猜想是很有道理的.

　　1994 年, 通过异常艰深的讨论, 德国数学家贝特克 (Ulrich Betke), 亨克 (Martin Henk, 1963—) 和威尔斯 (Jörg M. Wills, 1939—) 证明当 $n \geqslant 13\,387$ 时香肠猜想是正确的. 后来, 通过更精细的估计, 贝特克和亨克又将维数降到了 $n \geqslant 42$. 这一成果不仅是有限堆积理论的一个重要突破, 也是离散几何领域近年来最主要的工作之一.

　　费耶什·托特是研究堆球理论的一位著名学者. 所以, 他的香肠猜想一经提出就引起同行们的极大

兴趣和深入研究. 自 1975 年, 威尔斯就组织学生钻研讨论这一问题, 不断发表一些部分结果. 经过二十年的努力, 他们终于获得了成功. 贝特克和亨克都是威尔斯的学生. 可惜贝特克几年前因车祸去世了.

关于表面积的情况, 克罗夫特 (Hallard T. Croft)、福尔克纳 (Kenneth J. Falconer, 1952—) 和盖伊 (Richard K. Guy, 1916—   ) 于 1991 年在他们的名著 Unsolved Problems in Geometry《几何学中未解决的问题》中提出了如下猜想:

球形猜想 当 m 很大时, 能够包含 m 个内部互不相交的 n 维单位球、且具有最小表面积的凸体是近似球形的.

事实上, 这一猜想不仅对单位球, 而且对任意给定凸体都是对的. 这一结论是由伯勒茨基 (K. Böröczky Jr.) 和宗传明于 1996 年分别独立证明的. 证明用到布拉施克 (Wilhelm Blaschke, 1885—1962) 选择定理和等周不等式等.

球形猜想是很自然的, 本身并不奇怪. 但是, 它和香肠猜想能同时成立就非常奇怪了.

在三维和四维空间, 威尔斯观察到了如下现象: 当 m 不大时, 能够包含 m 个内部互不相交的单位球、且具有最小体积的凸包是香肠形的. 所以他预言当球的个数增加时最佳凸包的形状会发生突变: 在 E^3 和 E^4, 当单位球的个数较小时, 对于凸闭包的体积而言香肠形排列是最佳的. 当单位球的个数达到一定的数量时, 最佳排列就突变为满维数的.

12. 布利克费尔特, 费耶什·托特和罗杰斯

1898 年, 美国数学家布利克费尔特 (Hans F. Blichfeldt, 1873—1945) 于德国莱比锡大学在索菲斯·李 (Sophus Lie, 1842—1899) 的指导下获得博士学位. 他回到美国在斯坦福大学任教. 那时美国的数学还非常落后, 几乎所有的有志数学家都要到欧洲去学习.

布利克费尔特对群论做出过重要贡献. 但是, 20 世纪 20 年代他开始迷上了堆球理论. 那时他已经年过半百了. 如果闵可夫斯基不算是第一个严肃钻研过一般堆球问题的数学家, 那么这个殊荣就该归布利克费尔特.

他引进了一个非常奇妙的想法: 假设 $B^n + X$ 是一个球堆积. 将原来的球适当放大, 并改变新球的质量密度. 确切地说, 将 B^n 换成一个半径为 $\sqrt{2}$, 且在其中的点 $\boldsymbol{x}$ 具有质量密度

$$g(\boldsymbol{x}) = 1 - \frac{1}{2}\|\boldsymbol{o}, \boldsymbol{x}\|^2$$

的球 $\overline{B^n}$. 这时系统 $\overline{B^n} + X$ 中的球已经不再互不

相交. 但是, 这些新球在任一点的质量密度之和不超过 1. 在此基础上, 通过详细计算可以得出原来堆积密度的上界.

在三维空间, 利用这一方法能够得到

$$\delta(B^3) \leqslant 0.883\ 883\ 476\cdots.$$

这与开普勒的猜想 $\delta(B^3) = 0.740\ 480\ 489\cdots$ 还相差很远. 但是, 在 n 维空间他得到了

$$\delta(B^n) \leqslant \frac{n+2}{2}\left(\frac{1}{\sqrt{2}}\right)^n.$$

这是关于堆球密度的第一个一般上界. 与闵可夫斯基的下界 (5.2) 做比较就会发现它的不平凡之处.

如下表所示, 布利克费尔特对低维球的格堆积密度也做过重要贡献. 由于他的文章太简练, 几乎从来没有人验算过他的推导. 所以, 达文坡特 (H. Davenport, 1907—1969) 建议沃森认真研究一下布利克费尔特的论文, 看看是否有问题? 能否简化? 1966 年, 沃森在《剑桥哲学学会会刊》发表了一篇不足一页的短文. 他声称重新演算了布利克费尔特的推导, 没有发现错误, 也没有得到实质性的简化.

n	$\delta^*(B^n)$	发现者	发现日期
2	$\pi/\sqrt{12}$	Lagrange	1773
3	$\pi/\sqrt{18}$	Gauss	1831
4	$\pi^2/16$	Korkin, Zolotarev	1872
5	$\pi^2/15\sqrt{2}$	Korkin, Zolotarev	1877
6	$\pi^3/48\sqrt{3}$	Blichfeldt	1925
7	$\pi^3/105$	Blichfeldt	1926
8	$\pi^4/384$	Blichfeldt	1934

布利克费尔特曾长期担任斯坦福大学教授和数学系主任. 他任系主任期间, 聘请了波利亚 (George Pólya, 1887—1985)、赛格 (Gabor Szegö, 1895—1985) 等杰出数学家到斯坦福任教, 从而开始将斯坦福提高到国际水平. 他发表的论文不多, 却在数的几何领域做出了艰深的工作, 曾任美国科学院院士和美国数学会的副主席.

图 28   Hans F. Blichfeldt(1873—1945)

在堆球研究的历史上, 最投入的著名数学家当属费耶什·托特. 不仅他自己投入了毕生的精力, 而且他的儿子也倾其一生研究堆球. 他共发表了近百篇关于堆球的论文和两部非常有影响的专著, 提出了许多有深远影响的研究问题, 是 20 世纪最有影响的离散几何学家之一. 他的专著是堆球领域最重要的文献之一. 他是匈牙利科学院院士, 曾长期担任匈牙利科学院数学研究所的所长, 在匈牙利数学界享有仅次于厄尔多斯的崇高学术地位.

假设 $B^3 + X$ 是一个堆积. 即球两两内部互不相交. 对 $B^3 + \boldsymbol{x}_i$ 我们定义

$$D(\boldsymbol{x}_i) = \{\boldsymbol{x} \in E^3 : \|\boldsymbol{x}, \boldsymbol{x}_i\| \leqslant \|\boldsymbol{x}, \boldsymbol{x}_j\|, \ \boldsymbol{x}_j \in X\}.$$

通常, $D(\boldsymbol{x}_i)$ 称为以 $B^3 + \boldsymbol{x}_i$ 为核的狄利克雷多面体. 显然,

$$B^3 + \boldsymbol{x}_i \subseteq D(\boldsymbol{x}_i).$$

如果

$$\frac{v(B^3)}{v(D(\boldsymbol{x}_i))} \leqslant \frac{\pi}{\sqrt{18}}$$

对任一堆积 $B^3 + X$ 中的任一 $\boldsymbol{x}_i$ 都成立, 那么开普勒猜想就成立.

很遗憾, 可以构造出一个球堆积 $B^3 + X$ 使得 $D(\boldsymbol{x}_1)$ 恰好是外切于 $B^3 + \boldsymbol{x}_1$ 的一个正十二面体 (如图 29). 为了方便, 我们记这一个十二面体为 D_{12}. 这时通过简单的计算可以得出

$$\frac{v(B^3)}{v(D_{12})} > \frac{\pi}{\sqrt{18}}.$$

图 29

这就是开普勒猜想的困难所在.

1943 年, 费耶什·托特提出了如下猜想 (通常

被称为正十二面体猜想①): 如果 $B^3 + X$ 是一个堆积, 那么

$$v(D(\boldsymbol{x}_i)) \geqslant v(D_{12}), \quad \boldsymbol{x}_i \in X.$$

1964 年, 针对开普勒猜想他提出了如下方案: 在一个给定的球堆积中, 当相对于某个球的局部密度大于 $\pi/\sqrt{18}$ 时, 与该球相邻的某些球的局部密度就可能会小于 $\pi/\sqrt{18}$. 这样, 在适当的范围内引入一个加权局部密度也许能克服这一困难. 如果可以证明在某一个确定的范围内, 任意球堆积中相对于任一球的加权局部密度都不大于 $\pi/\sqrt{18}$, 那么开普勒猜想就可以被证明.

图 30　László Fejes
　　　　Tóth(1915—2005)

图 31

　　① 这一猜想于 1998 年由黑尔斯和迈克劳林 (Sean McLaughlin) 证明. 论文于 2010 年发表 Journal of the American Mathematical Society《美国数学会杂志》.

费耶什·托特本人既没能证明他的十二面体猜想, 也没能实施他对开普勒猜想的研究方案. 但是, 在堆球理论后来的发展中它们都起到了非常重要的作用. 在匈牙利数学家中有一个广泛的共识: 提出一个好问题胜过发表十篇平庸的论文. 好的问题会广泛流传并激发许多人进一步的研究, 而平庸的论文不会引起任何人的注意. 所以《匈牙利数学期刊》有一个问题专栏刊登尚未解决的数学问题.

1959 年, 费耶什·托特提出并研究了如下问题:

遮光问题　假设一个固定的单位球 B^n 发光. 试确定两两内部互不相交且能遮挡住它发出的所有光线的单位球的最小个数 $\ell(B^n)$.

从球冠覆盖的角度看, 遮光问题既是牛顿 – 格里高利问题的对偶也是它的一个推广. 并且容易导出

$$k(B^n) \leqslant \ell(B^n).$$

在三维空间 E^3, 这一问题曾引起费耶什·托特父子、伯勒茨基父子、丹泽尔 (L. Danzer)、菲尤 (L. Few)、黑佩斯 (A. Heppes) 等的深入研究. 然而他们仅仅得到了

$$30 \leqslant \ell(B^3) \leqslant 326.$$

这离确定 $\ell(B^3)$ 的精确值还相距甚远.

也许人们会想当然地认为: 通过不断地添加球总能将一个固定球所发出的光线全部遮挡住. 其实, 这一想法是肤浅的. 1960 年, 匈牙利数学家黑佩斯发现: 在 B^3 的任一格堆积 $B^3 + \varLambda$ 中都存在

一个与任一球都不相交的无限长的圆柱体. 换句话说, 用 $\ell^*(B^n)$ 表示球心为某一格的子集时 $\ell(B^n)$ 的类似数, 那么

$$\ell^*(B^3) = \infty.$$

也就是说, 如果逐渐添加的球的球心都在一个格上我们就不可能遮住中间的球所发出的某些光线. 可见这类问题的复杂性.

1992 年, 奥地利萨尔茨堡大学授予费耶什·托特荣誉博士学位. 在那次仪式上, 宗传明听说了香肠猜想和遮光问题. 经过五年的努力, 1997 年宗传明取得了关于遮光问题的第一个一般上界:

$$\ell(B^n) \leqslant n^{0.5n^2(1+o(1))}. \tag{12.1}$$

证明这一结果的关键是在适当远处以一个立方体的面为基准构造遮光的 "球云". 当然计算和论证都是非常复杂的.

在上界 (12.1) 和一些实验的基础上, 宗传明猜测: 存在一个绝对常数 c 满足

$$\ell(B^n) = 2^{cn^2(1+o(1))}.$$

这一猜想看上去很没有希望. 然而, 匈牙利数学家巴拉尼 (Imre Bárány) 和英国数学家利德 (Imre Leader) 于 1999 年得到了下界

$$\ell(B^n) \geqslant 2^{0.275n^2(1+o(1))}.$$

另一方面, 塔拉塔 (I. Talata) 通过改进宗传明的方

法于 1998 年将上界缩小为

$$\ell(B^n) \leqslant 2^{1.401n^2(1+o(1))}.$$

可见前面的猜想也不是完全没有希望.

1958 年, 英国数学家罗杰斯 (Claude A. Rogers, 1920—2005) 也对一般堆球问题做了深入研究: 假设 $B^n + X$ 是 n 维空间 E^n 中的一个球堆积. 我们可以将 E^n 剖分成以 X 中的点为顶点的单纯形. 如果 S 是以 $\boldsymbol{x}_1, \boldsymbol{x}_2, \cdots, \boldsymbol{x}_{n+1}$ 为顶点的一个单纯形, 那么

$$\delta(B^n, S) = \sum_{i=1}^{n+1} \frac{v(S \cap (B^n + \boldsymbol{x}_i))}{v(S)}$$

定义了一个局部密度. 可以证明, 当 S 是一个棱长为 2 的正规单纯形时这样定义的局部密度达到极大值. 由此罗杰斯导出了

$$\delta(B^3) \leqslant 0.779\,7\cdots$$

和

$$\delta(B^n) \ll \frac{n}{\mathrm{e}} 2^{-0.5n}.$$

设 C 是一个中心对称的 n 维凸体. 我们用 $\gamma(C)$ 表示满足如下条件的最大 r: 每一个格堆积 $C + \Lambda$ 中都有一个洞可以平移放入一个 rC. 在此基础上我们定义

$$\gamma_n = \max \gamma(C),$$

其中极大值取遍所有 n 维中心对称凸体. 可以看到, 不等式 $\gamma(C) \geqslant 1$ 隐含

$$\delta^*(C) < \delta(C). \tag{12.2}$$

其实, 是否存在满足 (12.2) 的凸几何体是堆积理论中的核心问题之一. 可见研究 γ_n 的重要性.

1950 年, 罗杰斯研究了如下问题:

深洞问题 试确定或估计 γ_n 的值.

他取得了第一个上界

$$\gamma_n \leqslant 2.$$

这是让人非常惊讶的一个结果, 因为它与维数无关. 半个世纪以来, 经过布尔甘 (J. Bourgain)、巴特勒 (G. L. Butler)、康韦等人的工作使我们知道

$$\gamma_n \leqslant 1 + o(1).$$

但这还不能排除 $\gamma(C) \geqslant 1$ 的可能性.

自 1995 年以来, 针对希尔伯特第十八问题、费耶什·托特的遮光问题和罗杰斯的深洞问题, 宗传明系统地发展了堆积空隙的几何结构理论. 关于深洞问题他先后证明了

$$\gamma_3 \leqslant 0.75$$

和

$$\gamma_2 = 3 - 2\sqrt{2}.$$

特别值得指出的是达到 γ_2 的不是圆盘, 而是正八边形.

对一个 n 维凸体 K, 我们用 $M(K, \ell)$ 表示能够覆盖边长为 ℓ 的立方体 ℓC^n 所需 K 的平移体的最少个数. 我们称

$$\theta(K) = \lim_{\ell \to \infty} \frac{M(K, \ell) \cdot v(K)}{v(\ell C^n)} = \lim_{\ell \to \infty} \frac{M(K, \ell) \cdot v(K)}{\ell^n}$$

为 K 覆盖 E^n 的最佳密度. 类似地, 人们也可以定义格覆盖密度 $\theta^*(K)$.

从某种意义上讲, 覆盖可以看作堆积的对偶. 罗杰斯对覆盖理论做出了重大贡献. 他证明: 对每一个 n 维凸体 K, 都有

$$\theta(K) \leqslant n \log n + n \log \log n + 5n.$$

和

$$\theta^*(K) \leqslant n^{\log_2 n + c \log \log n}.$$

罗杰斯是一位杰出的数学家, 也是英国皇家学

图 32　Claude A. Rogers(1920—2005)

会会员. 他曾任伦敦大学教授, 伦敦数学会主席.
他在数的几何、凸几何和几何测度论中做出了
杰出的贡献. 尤其以对堆积与覆盖的密度估计、
Busemann–Pitty 问题的第一个反例以及对差集的
体积估计而著称. 他的著作 *Packing and Covering*
《堆积与覆盖》是最经典的数学文献之一.

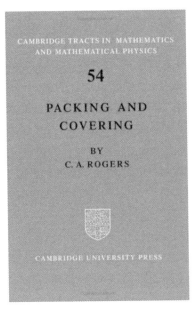

图 33

13. 项武义···黑尔斯

1991年3月1日,美国的 *Science*《科学》杂志报道:"去年春天,项武义所做的第一件事就是挑出几何学中最古老、最困难的未解决问题,···. 其次就是解决它." (Last spring ··· the first thing Hsiang did was to pick the oldest, hardest, unsolved problem in the subject [of classical geometry] ···. The second thing he did was solve it.)

1992年,*Encyclopedia Britannica*《大不列颠百科全书》中写道:"毫无疑问,1991年数学界最重大的事件当属项武义对开普勒猜想的(可能)证明." (Without doubt the mathematical event of 1991 was the likely solution of Kepler's sphere-packing problem by Wu-Yi Hsiang.)

1993年,项武义以 *On the sphere packing problem and the proof of kepler's conjecture* "关于堆球问题和开普勒猜想的证明" 为标题在 *International Journal of Mathematics*《国际数学杂

志》发表了一篇长达 92 页的论文. 这篇文章的主要思想是研究一个由加权平均定义的局部密度, 也就是实施费耶什·托特的方案. 当然, 项武义并不知道费耶什·托特曾经提出过这样的想法. 甚至他可能不知道有这样一位用毕生精力研究堆球的著名数学家.

取 h 为一个适当的正数. 如果 $\|\boldsymbol{x}_i, \boldsymbol{x}_j\| \leqslant h$, 我们就称 $B^3 + \boldsymbol{x}_i$ 和 $B^3 + \boldsymbol{x}_j$ 为 $B^3 + X$ 中的 h 近邻. 取

$$X_i = \{\boldsymbol{x} \in X : \|\boldsymbol{x}, \boldsymbol{x}_i\| \leqslant h\}$$

并且将其中的点编号为

$$X_i = \{\boldsymbol{x}_{ij} : \ j = 1, 2, \cdots, m_i\},$$

其中 $m_i = \operatorname{card}\{X_i\}$. 这时, 定义

$$\mu_{ij} = \frac{v(D(\boldsymbol{x}_{ij}))}{m_i},$$

$$\sigma(\boldsymbol{x}_{ij}, X) = \frac{v(S_3)}{v(D(\boldsymbol{x}_{ij}))}$$

和

$$\overline{\sigma}(\boldsymbol{x}_i, X) = \frac{\displaystyle\sum_{j=1}^{m_i} \mu_{ij} \sigma(\boldsymbol{x}_{ij}, X)}{\displaystyle\sum_{j=1}^{m_i} \mu_{ij}}.$$

称 $\overline{\sigma}(\boldsymbol{x}_i, X)$ 为 $B^3 + X$ 中 $B^3 + \boldsymbol{x}_i$ 的局部加权密度. 项武义的论文就是在取 $h = 2.18$ 的条件下试图

证明

$$\overline{\sigma}(\boldsymbol{x}_i, X) \leqslant \frac{\pi}{\sqrt{18}}$$

对所有的 X 都成立.

项武义, 著名美籍华裔数学家、数学教育家, 1964 年获普林斯顿大学博士学位, 先后任加州大学伯克利分校教授和香港科技大学教授, 现已退休. 他早年致力于变换群、李群和整体微分几何的研究, 做出过重要贡献.

对于项武义关于开普勒猜想所做的工作, 几何学家们首先是震惊, 接着便是质疑, 特别是几个匈牙利几何世家. 就在 1993 年, 黑尔斯 (Thomas C. Hales, 1958—) 也发表了一篇关于开普勒猜想的文章. 该文章并不是一个证明, 而是探讨一个计算机证明的尝试. 所以并没有引起多少重视. 1994 年, 黑尔斯以 *The status of the Kepler conjecture* "开普勒猜想的现状" 为题在 *The Mathematical Intelligencer* 对项武义的证明提出了多项质疑.

许多重要数学问题的解决都不是一次完成的. 例如, 费马大定理的证明就是这样. 当出现质疑的时候, 人们只好期待对质疑的部分能够进行补救.

1995 年, 项武义在 *The Mathematical Intelligencer* 对黑尔斯的质疑做了回应, 并承诺将对证明细节进一步澄清. 随着时间的推移, 几何学家开始传言: 黑尔斯正在试图用计算机给出一个证明. 1998 年, 传言变成了事实. 黑尔斯在预印本网站分段贴出了他的 "计算机证明", 近三百页. 他的计算机程序运行了接近两年!

黑尔斯的核心想法也是局部化. 不过他采用的是狄利克雷多面体和狄龙涅剖分相结合的方法. 他将问题划分为 5 000 多种情况. 在证明过程中他考虑了 100 000 多个线性规划问题, 其中典型的情况差不多有 200 个变量、2 000 个限制条件. 可见问题的复杂程度.

毫无疑问, 这项工作给审稿人带来了空前的难度: 绝大多数几何学家不懂计算机程序. 而计算机行家很难达到这一问题的几何学高度. 几经周折, 黑尔斯的主要论文于 2005 在 *Annals of Mathematics* 《数学年刊》发表, 该文长达 120 页. 在此前后, 他还陆续在 *Discrete and Computational Geometry* 《离散与计算几何杂志》发表了 6 篇细节性文章, 共 220 多页. 面对这样超级复杂的证明, 不会有人详细核查过所有的细节. 当然, 即使有人这样保证也不会有人相信.

局部化是一种很自然的想法, 也是非常容易出错的. 如下现象从某种程度上佐证了这一点: 正四面体的最大格堆积密度是 18/49, 这时每个四面体与 14 个四面体相切; 存在一个密度只有 1/3 的格堆积, 其中每个四面体与 18 个 (这是最大值) 四面体相切. 这一现象是由宗传明于 1996 年发现的.

14. 神奇的二十四维球

至此, 利奇格已经创造了两次奇迹: 它导致了散在单群 Co·1, Co·2 和 Co·3 的发现; 它产生了二十四维球的牛顿数 $k(B^{24}) = 196\,560$. 它还能再次让数学家们震惊吗?

艾克斯 (Noam D. Elkies, 1966—) 是一个数学奇才: 他 20 岁时就因为给出欧拉猜想的一个反例[①]而一鸣惊人, 21 岁获哈佛大学博士学位, 25 岁被聘为哈佛大学教授. 他发表的论文不多, 但他创造过多项数学奇迹. 他不仅是一位世界著名的数学

[①] 1769 年, 欧拉猜测: 任何 $n-1$ 个正整数的 n 次幂的和都不是一个正整数的 n 次幂. 换句话说, 当 $n>2$ 时不定方程

$$x_1^n + x_2^n + \cdots + x_{n-1}^n = x_n^n$$

无正整数解. 1966 年, 兰德 (L. J. Lander) 和帕肯 (T. R. Parkin) 给出了一组反例:

$$27^5 + 84^5 + 110^5 + 133^5 = 144^5.$$

1986 年, 艾克斯找到了一组 $n=4$ 的反例:

$$2\,682\,440^4 + 15\,365\,639^4 + 18\,796\,760^4 = 20\,615\,673^4.$$

家, 还是一位一流的国际象棋大师、杰出的音乐家.

德尔萨特引理已经为堆球理论做出了巨大贡献, 但也逐渐地显示出局限性. 受德尔萨特引理的启发, 人们开始尝试类似的线性规划方法.

首先, 我们回顾两个基本概念: 傅里叶变换和对偶格. 假设 $f(\boldsymbol{x})$ 是定义在 n 维欧氏空间 E^n 上的一个实值函数. 它的傅里叶变换定义为

$$\widehat{f}(\boldsymbol{y}) = \int_{E^n} f(x)\mathrm{e}^{2\pi\mathrm{i}\langle \boldsymbol{y}, \boldsymbol{x}\rangle}\mathrm{d}\boldsymbol{x},$$

其中 $\langle \boldsymbol{y}, \boldsymbol{x}\rangle$ 表示向量 $\boldsymbol{y}$ 和 $\boldsymbol{x}$ 的内积, i 即虚数单位 $\sqrt{-1}$. 一个 n 维格 Λ 的对偶 Λ^* 则被定义为

$$\Lambda^* = \{\boldsymbol{u} \in E^n : \langle \boldsymbol{u}, \boldsymbol{v}\rangle \in Z, \ \boldsymbol{v} \in \Lambda\},$$

即为与 Λ 中的每一点的内积都是整数的点构成的集合.

如果 $f(\boldsymbol{x})$ 对所有的 n 维格 Λ 都满足

$$d(\Lambda)\sum_{\boldsymbol{u}\in\Lambda} f(\boldsymbol{u}) = \sum_{\boldsymbol{v}\in\Lambda^*} \widehat{f}(\boldsymbol{v}),$$

就称其为一个 G 函数. 可以验证: 许多函数是 G 函数, 例如施瓦茨函数.

2003 年, 艾克斯与科恩 (Henry Cohn) 证明了如下结论:

艾克斯 – 科恩引理. *假设 $f(\boldsymbol{x})$ 是定义在 E^n 的一个非零 G 函数. 如果它满足*

1. $f(\boldsymbol{o}) = \widehat{f}(\boldsymbol{o})$.

2. $f(\boldsymbol{x}) \leqslant 0$ *对满足 $\|\boldsymbol{x}\| \geqslant r$ 的所有 $\boldsymbol{x}$ 都成立.*

3. $\widehat{f}(\boldsymbol{x}) \geqslant 0$ 对所有 $\boldsymbol{x} \in E^n$ 都成立.

那么

$$\delta(B^n) \leqslant \frac{\pi^{n/2}}{(n/2)!} \left(\frac{r}{2}\right)^n.$$

科恩于 2000 年在艾克斯的指导下获哈佛大学博士学位. 随后到微软研究院的理论部工作, 现任高级研究员, 并兼任麻省理工学院的教授. 像贝尔实验室一样, 微软研究院的理论部也有一些杰出的数学家. 沃尔夫奖得主洛瓦茨 (László Lovász) 和菲尔兹奖得主弗雷德曼 (Michael H. Freedman) 都名列其中.

2002 年, 22 岁的库玛 (Abhinav Kumar) 在艾克斯的指导下获博士学位. 他也是一位非凡的年轻人, 曾获奥林匹克数学竞赛金牌. 他读博期间正是艾克斯与科恩发现上述引理的时候. 所以他很快就加入到了这一行列.

通过超级复杂的计算机辅助搜索, 科恩和库玛在 E^8 和 E^{24} 分别找到了恰当的 G 函数 $f(\boldsymbol{x})$, 从而导出了

$$\frac{\pi^4}{384} = \delta^*(B^8) \leqslant \delta(B^8) \leqslant \left(1 + 10^{-14}\right) \cdot \frac{\pi^4}{384}$$

和

$$\frac{\pi^{12}}{12!} \leqslant \delta^*(B^{24}) \leqslant \delta(B^{24}) \leqslant \left(1 + 1.65 \cdot 10^{-30}\right) \cdot \frac{\pi^{12}}{12!}.$$

尽管如此, 人们至今既没能证明

$$\delta(B^8) = \frac{\pi^4}{384},$$

也没能导出

$$\delta(B^{24}) = \frac{\pi^{12}}{12!}.$$

可喜的是, 在此基础上, 科恩和库玛证明了

$$\delta^*(B^{24}) = \frac{\pi^{12}}{12!},$$

且所有达到这一密度的格都与利奇格 Λ_{24} 等价.

结　束　语

也许有读者会问: 取一个容器. 通过装满水很容易测量出它的容积 v. 在容器中装满等半径的小球, 并不断地摇晃, 直到不能再装入其他小球为止. 这时, 通过在空隙中注满水很容易测量出空隙的体积 u. 难道 $\delta = (v - u)/v$ 不就是堆球的最大密度 $\delta(B^3)$ 吗? 在历史上, 许多著名科学家做过这样的实验. 他们得到的密度 δ 通常都介于 0.5 与 0.6 之间. 但是, 自哈里奥和开普勒以来我们就知道 $\delta(B^3) \geqslant \pi/\sqrt{18} \approx 0.740\,48\cdots$.

也许有读者会问: 关于堆球问题, 在二十四维空间人们已经知道许多奇妙的结论. 为什么在其他一些低维空间我们却知之甚少? 答案非常简单: 因为在二十四维空间对应这些奇妙结论的球堆积是唯一的!

也许有读者会问: 现在的炮弹已经不是圆球了, 再研究堆球有什么用呢? 的确, 球形的炮弹是被淘汰了. 但是, 近二十年来, 高维的堆球理论却在密码学中产生了重要应用.

也许有读者还会问: 堆球已产生许多让人惊叹不已的结论. 下一个奇迹会出现在哪里呢? 可能没有人能回答这一问题. 四百多年过去了, 通过许多圣贤的贡献, 堆球已从一个具体问题发展成为一个重要的数学研究领域. 一方面, 人们已经取得了许多优美成果; 另一方面, 许多奇妙的新问题、新猜想应运而生, 就像一粒物种发展成了一个百花园. 至于将来花园中何处开花, 哪一朵花能结果, 人们的确不好预测. 但我们都知道, 通过园丁的精心耕耘和呵护, 百花园会繁花盛开、硕果累累.

作者感谢李大潜院士的鼓励, 感谢国家杰出青年科学基金、教育部长江特聘教授奖励计划和国家重点基础研究发展计划 973 项目的支持.

本书中的照片分别来源于 Oberwolfach 数学研究所、 Wikipedia 和个人收藏, 作者在此表示感谢!

基 本 文 献

[1] K. Böröczky, Jr., *Finite Packing and Covering*, Cambridge University Press, Cambridge, 2004.

[2] P. Brass, W. Moser, J. Pach, *Research Problems in Discrete Geometry*, Springer-Verlag, New York, 2005.

[3] J. H. Conway, N. J. A. Sloane, *Sphere Packings, Lattices and Groups*, Springer-Verlag, New York, 1988.

[4] L. Fejes Tóth, *Lagerungen in der Ebene, auf der Kugel und im Raum*, Springer-Verlag, Berlin, 1952.

[5] P. M. Gruber, *Convex and Discrete Geometry*, Springer-Verlag, New York, 2007.

[6] W. Y. Hsiang, *Least Action Principle of Crystal Formation of Dense Packing Type and Kepler's Conjecture*, World Scientific, Singapore, 2001.

[7] C. A. Rogers, *Packing and Covering*, Cambridge University Press, Cambridge, 1964.

[8] T. M. Thompson, *From Error Correcting Codes Through Sphere Packings to Simple Groups*, The Mathematical Association of America, 1983.

[9] C. Zong, *Strange Phenomena in Convex and Discrete Geometry*, Springer-Verlag, New York, 1996.

[10] C. Zong, *Sphere Packings*, Springer-Verlag, New York, 1999.

郑重声明

高等教育出版社依法对本书享有专有出版权。任何未经许可的复制、销售行为均违反《中华人民共和国著作权法》，其行为人将承担相应的民事责任和行政责任；构成犯罪的，将被依法追究刑事责任。为了维护市场秩序，保护读者的合法权益，避免读者误用盗版书造成不良后果，我社将配合行政执法部门和司法机关对违法犯罪的单位和个人进行严厉打击。社会各界人士如发现上述侵权行为，希望及时举报，我社将奖励举报有功人员。

反盗版举报电话　　（010）58581999　58582371

反盗版举报邮箱　　dd@hep.com.cn

通信地址　北京市西城区德外大街4号

　　　　　　高等教育出版社法律事务部

邮政编码　100120

读者意见反馈

为收集对教材的意见建议，进一步完善教材编写并做好服务工作，读者可将对本教材的意见建议通过如下渠道反馈至我社。

咨询电话　400-810-0598

反馈邮箱　hepsci@pub.hep.cn

通信地址　北京市朝阳区惠新东街4号富盛大厦1座

　　　　　　高等教育出版社理科事业部

邮政编码　100029